나를 기록으로 남기다!

자서전 쓰기 가이드북

책머리

"떠난 자는 남은 자의 가슴에 묻히고, 산 자는 죽은 자를 안고 살아간다."는 말이 있습니다. 그러면 무엇이 묻히고 무엇을 안고 살아간다는 것일까요? 바로 기억입니다.

자서전은 내가 살아온 삶의 여정을 기억해 내어 기록으로 남기는 것입니다. 나의 기억을 기록으로 남기는 것은 개인에게는 삶의 역사이며, 사회·문화적으로는 매우 유익한 사료가 되는 것입니다.

자서전 쓰기는 자신의 본 모습을 발견하고, 자아통합을 이루기 위한 수단입니다. 예전에 어른들은 "내가 살아온 날들을 글로 적으면 책 몇 권을 써도 모자란다"라고 푸념처럼 말씀하셨습니다. "자서전"은 글을 쓸 줄 아는 사람이라면 자신이 살아온 삶을 글로 옮기면 되는 것입니다.

인생은 태어나면서부터 현재까지 스스로 삶을 이끌어 온 것이 아니라, 타의에 의해 내 삶이 떠밀려 여기까지 달려 온 것이 모든 사람의 공통점일 것입니다. 태어나면서부터 누군가의 집안에 아들딸로. 청소년이 되면 하기 싫어도 떠밀려서 공부를 해야 하고, 장년이 되면 호불호를 따질 수도 없이 한 가정의 가장으로서 그 책임이 가볍지 않으며, 중년이 되면 자식 교육을 위해 허리가 휘어야 했습니다.

이처럼 지금까지 떠밀려 살아온 삶은 온전한 자신의 삶이 아니었습니다. 사람은 나이가 들어가면서 비로소 "내가 누군가?"라는 의문을 갖기 시작합니다. 자서전을 쓰게 되면 자신을 직면하게 되며, 비로소 나를 발견하게 됩니다. 즉 자신의 내면의 사람과 겉으로 보여지는 두 개의 자신이 하나로 통합되는 것을 체험하게 됩니다. 이것이 바로 자아통합입니다.

이처럼 자아통합이 실현되면 내 자신과 화해하게 되며, 자연스럽게 앞으로 살아가야 할 남은 삶에 대한 비전이 보이게 됩니다.

그러나 막상 자서전을 쓰려고 펜을 잡으면 머릿속이 정지된 듯, 눈앞이 캄캄해질 수도 있을 것입니다. 나이가 들면 누구에게나 자신의 일생을 정리해보고픈 욕망이 있습니다. 그러나 시작을 어떻게 해야되는지 몰라서 힘들어하시는 분들을 위해 이 교재가 길라잡이가 되어줄 것입니다.

고사에서 「표사유피 인사유명(豹死留皮 人死留名)」이라는 말이 있습니다. 표범은 죽어서 아름다운 가죽을 남기고 사람은 죽어서 이름을 남긴다는 뜻입니다. 자신의 이름을 남기는 방법이 바로 자신의 삶을 기록으로 남기는 것입니다.

100여 년 전만 해도 과학 발전의 속도는 느렸습니다. 그러나 현재는 지구 반대편에서도 곁에 있는 것처럼 대화가 가능하며, SNS를 통해 실시간으로 정보를 주고받는 시대가 되었습니다. 이처럼 역사는 빛의 속도로 빠르게 이동합니다.

그러나 아직도 가보지 못한 곳이 있습니다. 바로 인간의 내면세계입니다. 수많은 학자들이 탐험을 시도했지만 정확한 해답을 발견하지 못했습니다. 그러나 자서전을 쓰다 보면 자신의 내면세계를 경험하게 될 것입니다.

사람은 인생이라는 추억의 열차에 오르면 그곳에는 행복과 불행, 웃음과 눈물, 광명과 어둠, 기쁨과 슬픔이 공존하는 세상이 펼쳐집니다. 흔들거리며 달리는 열차는 어둠의 터널과 광명의 대지를 번갈아가며 종착역에 도착할 때까지 쉼 없이 달립니다.

　　이처럼 지난날 삶의 궤적軌跡을 현재로 옮겨 오는 것이 자서전입니다. 따라서 후손들에게는 재물로 환산할 수 없는 값진 유산이 될 것이며, 지혜와 경륜이 담긴 삶의 지침서가 될 것입니다. 또한 역사적, 사회·문화적으로도 귀한 자료가 될 것입니다.

　　자서전은 출생에서부터 죽음 사이의 전 생애를 기록하는 것으로, 자신이 살아온 흔적을 더듬어 신념과 사상, 인생 철학을 재발견하는 작업입니다.

2024년 5월

오인성

목차

자서전의 의의

1. 자서전의 의의(意義)

1) 자서전이란 무엇인가?

자서전은 본인의 출생 이후부터 성장기 및 직장생활 인간관계, 본인의 사상과 철학, 이루어놓은 업적 등의 전 생애의 활동을 재구성하여 기록한 것을 말한다. 자서전을 자전(自傳)이라고도 한다.

자서전은 "나"를 돌아보고 깊이 탐구하는 것이며, 자신의 생애와 가치관을 정리해 기록하는 것이다. 100여 년 전만 해도 과학 발전의 속도는 속절없이 느리기만 했다. 5, 60년대에도 빠르게 느껴지지 않았다. 그러나 오늘날 과학의 발달과 역사의 흐름은 어지러울 정도로 빛의 속도로 빠르게 이동한다.

예전에는 교통수단이나 정보화 속도가 완행이었다면 지금은 서울에서 부산을 다녀오는 것도 한나절이면 넉넉하게 볼일을 보고 돌아올 수 있는 초고속 시대가 되었다. 지구의 반대편에서도 통신수단이 옆에서 주고받는 것과 같이 대화할 수 있으며, SNS로 실시간 연락을 주고받을 수 있는 초음속 Mach의 시대가 되었다. 예전에는 광대하게 느껴지던 우주가 작게만 느껴질 정도이다.

그럼에도 아직 발견되지 않고, 탐색되지 않은 미지의 세계가 존재하고 있다. 많은 학자들이 찾으려고 노력했고, 과학자들 역시 연구에 연구를 거듭했지만 결론에 도달하지 못했다. 이것이 바로 인간의 내면세계다.

사람들은 자기 자신에 대해서는 잘 안다고 생각하고 있다. 그것은 자만이다. 누구의 말인지는 모르지만 "내가 나를 모르는데, 네가 어찌 나를 알겠는가"라는 신문답 같은 말이 있다. 그렇다 자신도 내가 어떤 사람인지 잘 알지 못한다.

자서전을 쓰게 되면 자신의 모습을 깊이 탐구하게 되고, 자신의 본래의 모습과 직면하게 된다. 그리고 상처 주고 상처받은 자신과의 화해가 일어나며, 비로소 자아통합을 이루게 된다. 그러므로 자신의 내면세계와 인생의 의미를 발견하게 된다.

자서전은 어떤 형식이나 제약이 없다는 것이 특징이다.

자서전

자신의 생애와 활동을 직접 적은 기록

| 나를
마주하는 것 | 나를
남기는 것 | 나를
깨고 나오 것 | 나를
찾는 것 | 나를
완성하는 것 | 나를
돌아보는 것 | 나를
벗기는 것 |

개인의 삶을 주제로 하는 것이므로 과장된 내용이나 허구의 이야기보다 솔직한 이야기를 담는 것이 좋다.

자서전 : 자신의 생애와 활동을 직접 적은 기록

① 나와 마주하는 것이다.

② 나를 벗기는 것이다.

③ 나를 남기는 것이다.

④ 나를 깨고 나오는 것이다.

⑤ 나를 찾는 것이다.

⑥ 나를 돌아보는 것이다.

⑦ 나를 완성하는 것이다

자서전은 자신의 삶으로 하나의 역사를 만들어 내는 행위이다. 우리는 자신이 기억하는 사실들을 여러 사람과 이야기로 나눈다. 그러므로 자서전 속에도 나의 이야기이면서도 여러 사람이 등장하게 된다. 이처럼 자서전 속에도 많은 사람과의 관계와 과거의 이야기를 통해서 미래의 새로운 일들을 설계하게 된다.

사람들은 나이가 들었다는 이유로 자서전을 쓴다는 것에 대해 두려움이 있다. "에이 이 나이에 자서전을 어떻게 써",라고 말한다.

2024년 4월 18일 뉴스에 소설가 황석영(81세)씨에 대한 이야기가 방송되었다. 황석영 작가는 78세에 "철도원 삼대"라는 책을 써서 세계 3대 문학상 가운데 하나인 영국 "부커상" 인터내셔널 부문 1차 후보에 올랐다고 했다. 이처럼 고령임에도 세계인이 감동할 수 있는 작품을 남겼다.

그의 열정과 노력의 결과였다. 그는 다음 작품은 "노벨상"을 받을 수 있는 작품을 쓰겠다고 포부를 밝히기도 했다.

우리는 할 수 없는 것이 아니라, 아예 시작도 하지 않으므로 못하는 것이다. 나이를 핑계 삼아 도전을 포기하는 것이다. "에이..., 내 나이가 80을 넘었는데, 자서전은 무슨..."하고 손사래를 치기 일쑤이다. 사람들은 나이가 들어가면 의식부터 먼저 늙어 버린다.

"나의 삶은 별로 자랑할 것이 없는데, 자서전으로 쓸 것이 없다"고 생각할지 모른다. 그러나 평범한 사람일수록 자신의 삶을 기록으로 남겨야 한다. 왜냐하면 특별하지 않은 자신의 삶을 다른 사람이 대신 기록해 주지 않기 때문이다. "시작이 반이"라는 속담이 있듯이, 시작하면 반드시 성공할 것이다.

저자는 일흔이 가까워 지면서도 내가 노인이라는 생각을 해본 일이 없었다. 그러던 어느 주일날 교회에서 한 어린이를 안아 올렸는데 나를 보면서 "할아버지"하고 부르는 것이었다.

　나는 망치로 뒤통수를 한 대 언어맞은 것처럼 깜짝 놀랐다. '아~, 내가 어린이의 눈에도 이제는 노인으로 보이는구나'.하는 생각을 처음으로 하게 되었다. 이처럼 인생은 덧없이 짧다고 생각되지만 노인이 되어서도 맘먹기에 따라서는 얼마든지 새로운 일을 시작할 수 있다.

일본인 언어(영어)학자 와타나베 쇼이치의 저서 "지적으로 나이 드는 법"에는 인생 후반을 멋지게 만들고 싶은 독자들에게 진정한 여생의 즐거움을 알려주고, 나이 듦에 관하여 생각해 볼 수 있는 시간을 선사한다. 이 책에서는 건강하고 지적인 여생을 보내기 위한 50가지 비결을 아래와 같이 제시하고 있다.

19 오래 살기 위해서 반드시 지켜야 할 세 가지.

20 나이가 들수록 정신적인 자극이 필요하다.

21 고향은 가끔씩 추억하는 곳으로 남겨두라.

22 지금 내가 사는 곳이 나의 고향이다.

23 책을 좋아하는 사람이 오래 산다.

24 전자책이 한 알의 영양제라면 종이책은 맛있는
한 끼 식사다.

25 삶의 긴장을 내려놓는 순간 이미 죽은 것이다.

26 노년의 뇌세포를 독서로 단련시켜라.

27 책을 읽으면서 삶과 죽음에 대해 통찰해보라.

28 인간이라는 미지의 존재를 공부해보라.

29 고서적 수집에서 몰입의 즐거움을 얻는다.

30 지력과 언어능력 향상을 위해 외국어를 공부하라

31 지적인 여생을 위한 세 번째 조건, 사랑.

32 노년에는 그윽하고 애잔한 사랑이 그립다.

33 손자 없는 시대를 받아들여라.

34 호흡, 영양, 실천이 건강을 보장한다.

35 육체적 건강이 지적 생활의 기초다.

36 규칙적인 생활이 뇌를 건강하게 만든다.

37 스트레스를 이겨내며 성장하는 것, 그것이 인생이다.

38 자신을 위해 작은 사치가 필요한 시간.

39 멀리 보고 함께 가는 마음이 부유함의 근본이다.

40 노후에도 자산을 보유하라.

41 윗사람의 최고 덕목, 쾌활함이다.

42 지적 즐거움을 나누는 친구를 만들라.

43 나이 든 부부에게는 각자의 공간이 필요하다.

44 젊은 시절의 추억이 노부부의 유대감을 높인다.

45 나이와 함께 시간의 질이 달라진다.

46 늦게 자고 늦게 일어나는 습관을 길러라.

47 깨우침을 향해 가는 길이 인생이다.

48 일상 속에서 자신의 도道를 발견하라.

49 희망 사항이 아니라 꿈으로 채워라.

50 죽는 그 날까지 지적으로 살고 싶다.

이 글에서 독자들이 인생 후반을 만족스럽고 멋지게 보내기 위해 생이 다하는 날까지 놓지 말아야 할 것들이 무엇인지를 곰곰이 생각해보게 한다. 우리는 남은 삶을 생명이 다할 때까지 품격있고 행복한 삶을 살 것인가? 그냥 죽음의 날만을 기다리며 무의미한 나날을 보낼 것인가를 깊이 생각해보아야 한다.

특히 우리나라 노인들은 세계 어느 민족사에서도 찾아보기 힘들 만큼, 일제 36년 치하의 수탈과 세계 제2차 대전의 종전과 해방, 육·이·오 동란의 참화, 그리고 보릿고개라는 가난을 벗 삼아 굴곡진 근대사를 온몸으로 겪으면서 살아오셨다.

그럼에도 6, 70년의 짧은 세월 동안 농경사회를 산업사회로 발전시키고, 산업사회를 정보화 사회로, 그리고 IT 강국으로 발전시킨 근대사의 산증인이다. 이러한 노인들이 지난날의 삶의 기억을 되살려내어 퍼즐을 짜 맞추듯 삶의 조각들을 한데 모아 한 권의 책으로 엮어내는 일은 위대한 작업이다.

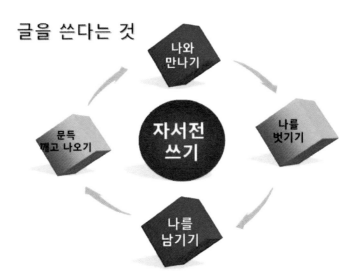

자서전의 기획하기

2. 자서전의 기획하기

1) 자서전 기획이란?

"기획"이란 용어의 사전적 의미는 '일을 꾸며 계획하는 것'이다. 즉 목적을 성취하기 위해 가장 적합한 일을 기획하는 것이다.

자서전이라는 목적을 달성하기 위해서 아래의 물음에 대답해보자.

무엇을 해야 할 것인가? - 자서전을 쓸 주제를 찾아야 한다.
무엇을 할 수 있을 것인가? - 자서전을 쓰기 위한 자료를 모은다.
무엇을 만들 것인가? - 자서전을 완성할 것이다.
무엇을 하지 않으면 안 되는가? - 열정과 집념을 잃지 말아야 한다.

이 물음에 답을 할 수 있다면 자서전 기획의 절반은 완성되었다고 할 수 있다. 집을 짓기 위해서는 먼저 설계도를 그려야 한다. 그리고 설계 도면에 의해서 재료를 준비해서 집을 지어 나간다. 집을 지으면서 처음에 설계한 도면대로만 짓는 경우는 거의 없다.

수차례 설계변경을 통해 자신이 짓고자 하는 집의 모양대로 지어져 간다. 자서전도 처음에 한 번 정한 주제로 자서전이 완성되는 것이 아니라 수없이 수정하고 또 수정할수록 더 나은 자서전이 완성되는 것이다. 주제를 정해놓지 않고 쓰다 보면 중반쯤에 가면 뒤죽박죽이 되어 어디가 머리이며, 어디가 꼬리인지 분간할 수 없게 된다.

자서전을 설계하는 방법은 연대별로 정하는 것이 가장 이상적이다. 사건의 중요성이나 테마별로 하는 방법도 있으나, 쓰다보면 중간쯤에서 혼동되기 쉽다. 특히 자서전을 쓰면서 가장 주의해야 할 것은 "나"라는 존재에 대한 개념을 놓쳐서는 안 된다. 그렇게 되면 주인공이 사라진 자서전이 된다.

2)「자서전」어떻게 써야 하나?

① 자서전 쓰기의 주제를 정한다.
인생의 전환점이 되었던 인생의 주제를 어떤 순서로 진행할지 설계를 하는 것이 중요하다.
② 원하는 목적(즐거웠던 일, 슬펐던 기억, 아쉬웠던 경험등)이나 주제(결혼, 인생의 전환점)에 따라 분류한다.
③ 생애 가운데 아쉬웠던 것에 대해서도 허심탄회하게 표현할 수 있도록 한다.

누구나 살아오면서 한두 번의 변곡점이 있다. 예를 들면 직장에서 승승장구하다가 갑자기 어떤 불의의 사고를 당하거나, 질병에 걸려서 명퇴를 했어야 했던 경우처럼 일생 중에 내 삶의 흐름을 바꾸어 놓았던 사건 등을 자세히 기록하는 중요하다.

　반대로 극한 어려움에 처했을 때 이를 극복하고 전화위복의 계기를 만들었던 경험이나, 어떤 사람과의 만남을 통해 반전이 일어났던 경험은 후손들에게도 귀중한 지혜서가 될 것이다.

　자서전은 자신의 성공과 승리의 역사만을 기록하는 것은 아니다. 실패와 좌절도 함께 담아냄으로 나 스스로에게 솔직해질 수 있다. 나의 인생을 이끌어온 생각과 가치들을 정리해볼 수 있으며, 내가 나에게 삶을 새롭게 배울 수 있는 소중한 기회가 된다.

자서전을 쓰는 가치

3. 자서전을 쓰는 가치 - 왜 자서전을 써야 하는가?

자서전은 그동안 살아온 자신의 역사를 기록하여 의미 있는 가치로 남기는 것이다. 인생 기록의 가치에 대해서 반박할 사람은 아무도 없을 것이다. 나의 자서전을 통해, 후대의 사람들이 내가 경험한 일들에서 가치 있고 자랑스러운 것을 배우게 되며, 조상인 나에 대해 자세히 알게 될 것이다.

1) 살아 있는 교훈

자라나는 세대, 즉 가족과 후손들에게 살아있는 교훈이 되는 기록을 남길 수 있다. 요즘에는 자식들이 부모님의 칠순, 또는 팔순의 기념으로 부모님의 자서전을 출간해 드리는 경우가 많다. 부모님의 자서전을 기록해보면 그분들의 삶을 이해하게 되며, 가정과 자식들을 위해 최선을 다해 살아오신 삶 자체가 자식들에게는 무엇과도 바꿀 수 없는 값진 유산이며, 지혜서이다.

2) 나 자신과의 화해를 통해 자아통합을 이루며, 내적치유를 경험하게 된다.

① 심리 치유의 효과
② 기억력 개선 효과
③ 자기 정화 효과
(내 안의 상처받은 나를 건강하게 지킬 수 있게 해 준다)
④ 인생을 끌어가는 것 : 비전과 에너지

(3) 자아를 올바로 인식하게 된다.

  사람들이 갑자기 "너는 누구냐"라고 묻는다면 순간 당황하게 된다. 이는 자신이 누구인지 올바로 인식하고 있지 않다는 반증이다. 어느 누구도 자신을 제대로 설명할 수 있는 사람은 없다. 내가 누구인지를 정확하게 인식하고 있다는 것은 매우 중요한 일이다. 여기서 귀신 씻나락 까먹는 철학을 얘기하는 것이 아니다. 앞으로 남은 인생을 설계하기 위해서는 내가 누구인지를 정확하게 인식하고 있어야 하기 때문이다.

  『자서전』을 쓰게 되면 자신의 능력에 대한 확신을 얻게 된다. 그리고 자신의 삶에 대해 적극적인 변화를 주도하게 된다.

  성취욕이 극대화되며, 노화에 따른 신체적 쇠락을 긍정적으로 받아들이게 된다. 그러므로 나이 듦에 대한 긍정적 사고로 노후를 좀 더 의미 있게 가꾸어 가는 기회가 된다.

늙어 가는 길

윤석구

처음 가는 길입니다
한 번도 가본 적 없는 길입니다
무엇하나 처음 아닌 길은 없었지만
늙어 가는 이 길은 몸과 마음도 같지않고
방향감각도 매우 서툴기만 합니다

가면서도 이 길이 맞는지
어리둥절할 때가 많습니다
때론 두렵고 불안한 마음에 멍하니
창밖만 바라보곤 합니다
시리도록 외로울 때도 있고 ,
아리도록 그리울 때도 있습니다

어릴 적 처음 길은 호기심과 희망이 있었고
젊어서의 처음 길은 설렘과 무서울 게 없었는데
처음 늙어 가는 이 길은 너무나 어렵습니다

언제부터인가 지팡이가
절실하고 애틋한 친구가 될줄은
정말 몰랐습니다
그래도 가다 보면 혹시나 가슴 뛰는 일이 없을까 하여

노욕인 줄 알면서도 두리번두리번 찾아봅니다.
앞길이 뒷길보다 짧다는 걸 알기에
한 발 한 발 더디게 걸으면서 생각합니다
아쉬워도 발자국 뒤에 새겨지는 뒷모습만은
노을처럼 아름답기를 소망하면서
황혼 길을 천천히 걸어갑니다
꽃보다 곱다는 단풍처럼
해돋이 못지않은 저녁노을처럼
아름답게 아름답게 걸어가고 싶습니다

'늙어 가는 길 / 윤석구

자서전(自敍傳)

내가 살아온 날들 가운데 있었던
몇 묶음의 즐거움
몇 다발의 안타까움
그리고
한 아름의 행복과
한 움큼의 부끄러움까지도
모두 담아내는
내 삶의 역사이다.

자서전 주제 정하기

4. 자서전 주제 정하기

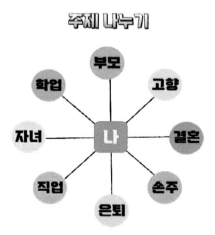

그림처럼 나누어진 주제 하나에서 10개 또는 20개의
주제로 다시 나눌 수 있다. 예를 들면 "학업"을 유치원에
서 최고 학부 또는 유학 생활까지로 나눌 수 있다. 그리고
학교생활 가운데서 잊지 못할 친구, 진로에 대한 고민 등
으로 얼마든지 나눌 수 있으며, 다른 주제들도 마찬가지
로 여러 개의 주제로 나눌 수 있다.

또한 부모님의 생애에 대한 이야기도, 부모님의 생몰,
두 분의 만남에 대한 에피소드, 성품, 자식들에 대한 기대
등으로 나눌 수도 있다.

사람들은 자신의 역사를 기록하는데 시간이 오래 걸린다고 생각하거나 너무 엄청난 과업이라고 생각하면서 아예 시작 자체를 하지 않는다. 그러나 먼저 내가 살아온 날들에 대한 주제를 100개 이상으로 설정을 해 본다.

이렇게 주제를 정해 보면 일생에 대한 줄거리가 형성된다. 예를 들어 집을 짓는다고 생각해보면 된다. 주제를 정한다는 것은 집을 지을 재료를 준비하는 것과 같다. 좋은 자재와 좋은 재료를 많이 준비하는 것이 좋은 집을 짓는 첫째 조건이다.

다음은 일반적이며, 누구에게나 해당되는 공통주제이다. 이를 참고해서 자신만의 주제를 설정해 보세요. 다음의 자서전 주제예시에서 제시하는 하나의 주제에서 다시여러 개 또는 수십 개의 주제로도 나눌 수 있을 것이다.

※ 자서전 주제 "예시(例示)"

〈연대별로 정리〉

  1. 고향에 대한 상세한 추억

  2. 아버지, 어머니에 대한 추억(성함, 생몰, 직업, 성품, 취미, 특기 등)

  3. 나는 언제, 어디에서 태어났는가?

  4. 부모님은 나에게 왜 그 이름을 지어주셨는가?

  5. 성장 배경과 가정환경에 대한 추억

  6. 어린 시절 가정사의 희비에 대한 추억

  7. 가계에 대한 유전적 특징 및 가족 전통에 대한 이야기

  8. 형제자매에 대한 추억(이름, 생몰, 개인별 특징 등)

  9. 명절에 대한 가계의 전통

  10. 특별히 나와 인연이 있는 고모, 삼촌, 친척에 대한 추억

  11. 학업에 대한 추억(유치원에서 최종 학력까지의 추억)

  12. 학교생활 가운데 특별히 좋아했던 과목과 싫어했던 과목

  13. 잊지 못할 학창시절의 친구에 대한 추억

  14. 학교 전공과 직업에 대한 상관관계

15. 잊지 못할 스승님에 대한 추억

16. 나의 장점과 단점은 무엇이며, 사회생활에 끼친 영향

17. 살아오면서 건강으로 인해 어려웠던 일

18. 내가 믿는 종교가 내 인생에 어떤 영향을 주었는가?

19. 내가 좋아하는 음식과 싫어하는 음식에 대한 이유

20. 내가 겪었던 지역 사회적, 국가적, 세계적 사건에 대한 추억

21. 이러한 사건이 내 삶에 어떤 영향을 주었는가?

22. 배우자를 만나게 된 동기와 교제 기간

23. 결혼식 날의 추억과 신혼여행

24. 배우자는 나에게 어떤 사람인가?

25. 자녀에 대한 추억(힘들었던 일, 행복했던 일 등)

26. 나의 인생 철학(인생을 바라보는 시각)

27. 나만의 개인적 가치관

28. 내 인생의 전환점

29. 내가 만난 은인

30. 세상에서 제일 두렵고 무서운 일은 무엇인가?

31. 우리 가정 최고의 경사

32. 나에게는 이런 재능이 있으며, 내 인생에 끼친 영향

33. 나의 직업과 이 직업을 선택한 이유.

34. 여행에 대한 추억

35. 일생 중에 경험했던 가장 중요한 사건은 어떤 것인가?

36. 재물에 대한 나의 철학

37. 후손들에게 어떤 사람으로 기억되고 싶은가?

38. 후손들에게 남기고 싶은 유언과 유산

삶의 조각 모으기

5. 삶의 조각 모으기

1) 사진 자료

먼저 증조부, 조부, 부모님, 부부, 자녀, 손주 등의 기념이 될 만한 사진을 준비한다.

① 가족사진, 부모님의 사진, 자신의 사진, 자녀와 손주들의 사진, 기념사진, 여행 사진, 종교활동 사진, 봉사활동 사진 등을 시대별로 정리한다.

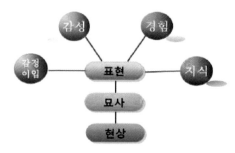

2) 가족의 기념 사건 자료

가족의 기념이 될만한 내용은 무엇이든지 모두 준비한다.

① 신문이나 잡지에 실린 자신이나 가족들의 기사.

② 자신이나 가족들의 문학, 예술 활동이나 수상 자료

③ 집안의 家寶나 기념품에 관한 자료

④ 일기, 메모, 편지, 카드 등의 자료,

⑤ 학교생활 가운데 있었던 통지표, 통신문, 시험지, 상장 등

⑥ 임명장, 발령장 등

3) 더 많은 참고자료

(1) 생을 되풀이해서 사는 가장 좋은 방법은 지나온 삶을 회상하며 오래도록 기록으로 남겨 두는 것이다.

(2) 아무리 사소한 일화라도 조상에 관한 이야기라면 수집하는데 게을리하지 않는다.

(3) 아버지와 어머니의 훌륭한 점과 단점도 기록한다.

(4) 형제·자매간의 불화나 다툼도 숨기지 않는다.

(5) 글공부와 독서를 게을리하지 않는다.

(6) 생활신조와 도덕관을 서술하고, 나는 이것을 어떻게 실천했는지 상세히 기록한다.

(7) 자신이 저지른 과오를 숨김없이 고백하고 서술한다.

(8) 결혼과 이성 문제에 대한 고민이나 사연을 담백하게 서술한다.

(9) 나는 어떤 모임이나 봉사활동에 참여했는지도 기록한다.

일생을 회상하며 생각나는 것을 그대로 글로 옮긴다.

6. 일생을 회상하며 생각나는 것을 그대로 글로 옮긴다.

1) 생활 편

(1) 처음으로 집을 장만할 때는?

①집을 장만하기 위해 했던 노력은?

②판단 착오로 크게 실수했던 일은? 그로 인한 손실은?

(2) 중년기 시절 공휴일에는 무엇을 하며 지냈나?

(3) 사랑에 대하여 말해 보라.

①사랑에 대해 품었던 환상과 실제는 어땠나?

②결혼 생활 중 가장 위기였던 때는?

③경제적으로 가장 어려웠던 때는?

그 이후에 어떻게 나아졌나?

④자녀들과 본인의 세대 차이를 느꼈는가?

⑤자녀들이 나의 어떤 점을 닮길 바라는가?

2) 일 편

(1) 본인의 개인 사업을 해보려고 했는가?

① 사업가라면 자신의 사업에 대해 소개한다.

② 주식투자나 부동산 등으로 재테크를 했나?

결과는 어땠나?

③ 직장에서 해고당할 위기가 있었나?

어떻게 극복했나?

④ 노년을 위해 젊었을 때부터 준비한 것은?

⑤ 은퇴 후 가장 달라진 것은?

⑥은퇴 후 수입원은?

⑦ 다른 직장을 원하는가?

3) 건강

(1) 중년기에 꾸준히 한 운동은?

(2) 중년기에 큰 병에 걸린 적이 있는가?

있다면 어떻게 극복했나?

(3) 중년이 되어 체력이 떨어졌다고 생각한 때는 언제인가? (시력, 근력, 지구력 등등)

(4) 젊었을 때 비해 체중이 늘었는가, 줄었는가?

이유는 무엇인가?

(5) 지금 건강은 어떤가?

건강을 지키기 위해 어떤 노력을 기울이는가?

4) 여가

(1) 평일이나 주말에는 어떻게 시간을 보내나?

(2) 가장 좋아하는 취미는?

(3) 가장 즐기면서 하는 일은?

5) 정신건강

(1) 압박과 스트레스를 느낄 때는 무엇을 했나?

(2) 이 세상은 살만한 곳이라고 생각하는가?

(3) 정신적으로 너무 힘들어서 눈물을 흘리며 밥을 먹었던 적은?

(4) 중년기에 자신이 긍정적이고 적극적이었다고 생각하는가?

(5) 고독(외로움)을 느끼는가? 어떻게 극복하는가?

(6) 두려움을 느끼는가? 무엇이 두렵게 하며 어떻게 극복하는가?

(7) 나는 정신적으로 건강한가?

(8) 영적인 충만감은 어느 정도인가?

(9) 오래전에 일어난 일 중에서 지금까지 용납되지 않는 일은?

6) 가족

(1) 현재 사는 곳을 전체적으로 그려보기

(2) 자녀들에 대해서 가진 생각을 말해 보라.

(3) 자녀와의 관계는 어떤가?

(4) 내가 죽은 후 나의 재산은 어떻게 할 계획인가?

(5) 내가 죽은 후 자녀가 어떤 삶을 살길 바라는가?

(6) 자녀나 후손들에게 교훈으로 남기고 싶은 말은?

7) 친구

1) 친구들에 대해 말해 보라.

(처음 만난 때, 그는 내게 어떤 친구인가?

2) 지금 만나는 친구들에 대해 말해 보라.

3) 누구와 대화할 때 마음이 편한가?

8) 인간관계

1) 나를 인정해 주고 지지해주는 잊지 못할 지인이 있는가?

2) 나를 배신한 사람이 있나요? 그 결과는?

(3) 현재의 나를 있게 한 가장 영향을 끼친 사람은?

9) 가치

(1) 나이가 들수록 더욱 강해지거나 여전히 지니고 있는 자신의 가치는 무엇인가?

(2) 섬김과 나눔, 봉사를 한 기억과 그것이 지니고 있는 자신의 가치는 무엇인가?

(3) 지금 당신에게 가장 소중한 것은 무엇인가?

(재산, 가족, 명예, 만족)

10) 사상

(1) 국가관과 사회관, 이 나라가 가야 할 방향에 대해 말해보라.

(2) 남북통일에 대한 생각은?

(3) 일제강점기를 어떻게 생각하며 일본에 대한 감정은?

(4) 북한에 대한 나의 생각은?

(5) 자신의 세계관과 인생관을 말해 보라.

11) 영적인 삶

(1) 신앙생활에 대한 자신의 생각을 말해 보라.

(2) 죽은 후의 삶에 대해 진지하게 생각하고 설계했는가?

12) 후회

(1) 용서나 화해를 하고 싶었지만 하지 못한 것이 있었
나?

13) 회상

(1) 정말 하고 싶었는데 하지 못했던 일은?

14) 회고

(1) 인생에서 가장 기뻤던 일을 세 가지만 써 보라

(2) 자신이 성공했다고 생각하는가?

(어떤 의미에서 성공했는가?)

(3) 젊은 시절로 돌아간다면 가장 해보고 싶은 일은?

(4) 해결하지 못한 과제는 무엇이 있는가?

(5) 내가 정치인이 되었다면 무슨 일을 했을 것 같은가?

15) 성취

(1) 중년기에 가장 좋았던 때는 언제인가?

(2) 나의 전성기는?

16) 나이 듦

(1) 나이가 들어 좋은 점은? 나쁜 점은?

(2) 이익과 불이익

(3) 죽기 전 남기고 싶은 것은? (명예. 사상. 교훈. 자서전)

「자서전」 쓰기의 Tip

7. 「자서전」 쓰기의 Tip

1) 조부모님에 대한 글
형제가 많은 경우 막내로 태어나면 조부모님은 이미 고인이 되셔서 전혀 기억이 없는 경우가 있다. 또한 부모님에 대해서도 기억이 없는 경우도 있을 수 있다. 이런 경우에는 주민센터에서 제적등본을 발급받아보면 조상들의 생몰에 대한 기록과 언제 결혼을 하셨으며, 형제, 자매들의 출생과 결혼, 분가 등을 알 수 있다.

2) 성공적 자서전 쓰기
①어린 시절의 회상
-출생의 비밀, 태몽
-꽃피는 내 고향
-내 인생의 멘토
-어린 날의 꿈
-잊을 수 없는 날의 기억

② 가족과 사랑
-가족 이야기
-기쁘고 기쁜 날
-내가 아끼는 보물
-첫사랑
-내 삶에 영향을 미쳤던 사건
-나의 직업

③ 나의 젊은 날
-자녀 교육
-일과 경제
-위기의 순간
-인생의 전환점
-두려웠던 순간
-나의 희망 사항

④ 인생 회고
-행복했던 순간, 불행했던 순간
-인생의 깨달음
-죽음 준비
-나를 지켜낸 건강 비법
-꿈과 열정
-이것만큼은 잘했다

⑤ 다음의 여덟가지 중에 나는 어떤 성격이었나?
-외향 사고형
-내향 사고형
-외향 감정형
-내향 감정형
-외향 감각형
-내향 감각형
-외향 직관형
-내향 직관형

⑥ 중요 사진 첨부

사건을 기록할 때마다 관련된 사진을 첨부한다.

예를 들면 고향에 대한 글을 쓸때는 고향 사진, 부모님에 대한 글을 쓸 때는 부모님 사진을 먼저 준비한다. 그리고 내 어린 시절의 사진, 청소년 시절의 사진, 학교 입학과 졸업사진 등도 준비한다. 그리고 직업에 관련된 사진, 종교 생활, 의미있는 여행 사진, 자녀 출생, 손주들에 대한 사진 등을 기록과 연결해서 적절하게 배열하면 더 훌륭한 자서전이 된다.

자아발견

8. 자아발견

1) 자아란?

 자아(自我/ego)란 자기 자신에 대한 의식이나 관념을 의미한다. 인간의 자아는 출생 15개월경부터 나타나기 시작한다. 갓 태어난아기는 자신과 세상을 구별하지 못한다. 약 15개월이 지나면 세상과 자기 신체를 구분하면서 신체적 자아가 출현한다. 그리고 15-24개월경부터 아이는 자신의 이름을 통해 자신을 알게 되며 내 것을 주장하기 시작한다.

2) 지그문트 프로이트의 자아개념

 사람이 성장함에 따라서 의식적 마음도 발달하는데, 이는 본능을 억누르면서 동시에 본능으로부터 오는 충동을 만족시킬 선택을 하는 역할을 담당한다. 즉 현실에 위배되지 않으면서 동시에 본능의 욕구를 어떻게 하면 만족시킬 수 있는지 찾는 성격의 한 개념이다. 자아는 논리적 사고를 수행하며 우리가 현실 세계에서 생활하는 것을 도와준다. 자아실현을 위해서는 배우고, 사고하며, 추리하는 인지적 기술을 발달시켜야 한다.

 그러므로 자아는 자신이나 타인에게 해를 끼치지 않고 본능적인 욕구를 충족시킬 수 있는 인지능력을 가진 사람이다. 자아의 상위 개념으로는 '초자아'가 있다. 초자아는 양심이나도 덕등을 맡아 관리한다.

만약 자아가 본능적 욕구를 따라가면 자아는 초자아로부터 처벌의 위협을 받게 된다. 이러한 반응을 '도덕적불안'이라고 부른다. 이렇게 자아가 위협받는 상황이 오면 '현실 불안'이라는 현상이 오게 된다. 인간은 본능적으로 이 현상을 극복하기 위해 또 다른 사고를 하는데 이 사고를 '방어기제'라 부른다.

3) 자아(ego)와 자기(self)

자아(ego)와 자기(self)sms ahen '나'를 뜻하지만 존재의 차원이 다르다. '자아'는 감각을 통해 정보를 받아들여 사고하는 센터이며, 의식의 중심부라고 할 수 있다. '자기'는 자아가 의식하지 못하는 자신의 잠재성을 말하며, '자아'가 태어나는 토대이자 선악, 미추, 시공을 초월한 궁극적인 실재이다.

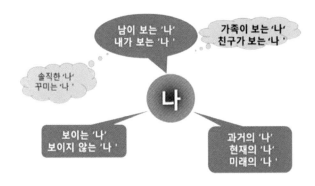

내가 나를 향해 이름을 불러 본 적이 있나요? 거울 속에 비친 내 모습을 바라보면서 한번 크게 불러 보세요. 그러면 방금이라 뛰쳐나올 것 같다.

  거울 속의 나를 불러내어 지금부터 타임머신을 타고 과거로의 여행을 떠나 보자. 나와 직면하게 되면 『나는 누구인가?』라는 질문 앞에 서게 될 것이다.

글쓰기의 기본

9. 글쓰기의 기본

음식을 먹을 때 씹으면 씹을수록 음식의 고유한 참맛을 느낄 수 있다.글도 고치고 또 고치다 보면 내가 표현하고자 하는 내용이 명확하게 전달될 수 있도록 다듬어진다. 그리고 한 문장을 길게 쓰는 것이 아니라 단문으로 간결하게 써야 내용이 분명해진다.

즉 한 문장에는 한가지 내용만 담아야 한다. 한 문장을 길게 쓰는 것은 여러 가지 내용을 넣었기 때문이다. 한 문장에 여러 가지 내용을 넣게 되면 글의 내용이 중복되거나 주어와 수식어의 배열도 꼬이게 되며 내용이 모호해진다.

1) 글쓰기의 기본 원칙
① 먼저 글 쓸 분량을 정하라
②문장의 끝을 ...다.로 끝내라. ...했는가(×), ...이리라 (×).
③ 문단을 쓰라. 한 문단이 4~5개의 문장이 되도록 한다.
④ 첫 단락(문단)을 재미있게 쓰라.
⑤ 타인(독자)의 시선을 의식하라.

2) 문장의 기본형식에는 다음과 같은 세 가지가 있다.

① 주어 + 서술어

② 주어 + 목적어 + 서술어

③ 주어 + 보어 + 서술어

3) 올바른 문장 쓰기

① 주어와 서술어가 분명한 문장을 쓴다.

② 앞 절과 뒷 절이 어울리는 문장을 쓴다.

③ 수식어를 바르게 사용한다.

④ 시제를 맞춘다.

⑤ 같은 말의 중복을 피한다.

⑥ 문장은 짧고 간결하게 쓴다.

"예시"

-아름다운 영자가 놀러 왔다.

-이웃집에 사는 영자가 놀러 왔다.

-상냥한 영자가 놀러 왔다.

이웃집에 사는 아름답고 상냥한 영자가 놀러 왔다.

연대표 만들기

10. 연대표 만들기

우리 가정의 중요 사건과 역사적 사건을 연대별로 정리한다. 자서전 내용에 이미 담겨 있는 내용이지만 우리 가정의 연대표를 만들어 주면 일목요연하게 알 수 있다.

년 월 일	ㅇㅇㅇ의 年譜	우리나라 역사 年表
1927. 04. 24	아버지 태어나심	
1930. 10. 01	어머니 태어나심	
1945. 08. 15		일제식민지에서 해방
1947. 02. 10	어머니 아버지 결혼	
1948. 07. 20		이승만 초대대통령 단선
1949. 07. 07	ㅇㅇㅇ이 장남으로 출생	
1950. 06. 25		육이오사변(북한군 남침)
1951. 07. 07	여동생ㅇㅇㅇ이 출생	
1953. 07. 27		휴전협정문에 서명
1958. 03. 05	초등학교 입학	당시는 국민학교
1960. 03. 15		3.15부정선거
1060. 04. 19		4.19 시민혁명
1961. 05. 16		5.16 군사정변. 박정희 군정
1964. 06. 03		6.3항쟁(한일협정 반대)
1965. 06. 22		한일국교수교(한일협정)
1968. 12. 21		경부고속도로 개통(수원-반포)

1979.10.16		부마 민주항쟁(YH무역회사)
1979.10.26		박정희 서거
1979.12.12		전두환 신군부 쿠데타
1980.05.17		비상계엄
1980.05.18		광주 민주화 운동
1987.06.10		6.10민주화운동(5년 직선제개헌)
1995.06.27		지방자치제 실시
1996.03.01		초등학교를 초등학교로 변경
1996.10.12		OECD 기입
1997.12.03		외환위기(2001. 08. 23 해제)
2000. 06.13		1차남북정상회담(김대중,김정일)
2004. 03.12		노무현 대통령 탄핵소추
2007. 10. 02		2차남북정상회담(노무현,김정일)
2011. 12. 20		북한 김정일 사망
2014. 04. 16		세월호 참사. 사망299, 실종5
2017. 03. 10		박근혜 대통령탄핵 인용(파면)
2017. 05. 30		문재인 제19대 대통령 당선
2022. 03. 10		윤석열 제20대 대통령 당선

기록 순서 정하기

11. 기록 순서 정하기

첫째, 연대별로 기록한다.

내가 살아온 날들을 추억하는 일은 시간과 시대별로 정리하여 기록하는 것이 자서전을 쓰는 좋은 방법이다.

즉, 내가 태어나기 전에 조부모님(혹은 증조부모님)이 계셨을 것이며, 다음이 부모님 세대이다. 그리고 내가 태어나서 어린 시절을 거쳐서 청소년기, 청년기에 이르러 진로에 대한 결정과 결혼의 추억을 기록할 수 있을 것이다.

그리고 결혼을 하면 출산과 육아에 대한 아름다운 추억을 기록할 수 있다. 그리고 다음은 중년과 노년의 삶, 그리고 현재 살아가는 상황을 기록하게 된다.

둘째, 일생에 중요한 가치를 기록한다.

자서전을 서술하는 것은 지금까지의 삶을 되돌아보고 정리한다는 의미가 크다. 그리고 내가 어떤 사람인가를 깨닫고, 앞으로의 삶은 어떤 가치관을 가지고 살아갈 것인가를 정리해보는 것도 매우 중요하다.

그러므로 내가 중요하게 생각하는 가치를 정하고, 이를 기준으로 경험했던 일들을 서술해 보는 것도 좋은 방법이다.

시론(詩論) / 조동화
- 산수화(山水畵) 그리기 -
가령 화폭에 山 하나를 담는다 할 때
그 뉘도 모든 것을 다 옮길 순 없다
이것은 턱없이 작고 저는 너무 크므로
그러나 그렇더라도 요량 있는 화가라면
필경은 어렵잖이한 법을 떠올리리
고삐에 우람한 황소 이끌리는 그런 이치!
하여 몇 개의 선, 얼마간의 여백으로도
살아 숨쉬는 산 홀연히 옮겨오고
물소리, 바람소리는 덤으로 얹혀서 온다

시론(詩論) / Parody
- 자서전 쓰기 -
가령 자서전 한 권에 한 인생을 담으려 할 때
그 뉘도 일생을 다 적을 수는 없다
종이는 너무 작고 인생은 너무 크므로
그러나 그렇더라도 요령 있는 사람이라면
필경은 어렵잖이 한 생각을 떠올리리
사진에서 추억의 실마리 풀어내는 그런 이치
하여 몇 장의 사진, 얼마간의 글로도
살아 숨쉬는 인생, 홀연히 옮겨오고
기쁨과 슬픔, 웃음과 눈물은 덤으로 얹혀서 온다

자서전 설계 – 퍼즐 맞추기

12. 자서전 설계 – 퍼즐 맞추기

① 아버지에 대한 주제
- 생몰
- 결혼
- 학력과 직업
- 성품 및 건강
- 기타 : 삼촌, 고모 등에 대한 주제

② 어머니에 대한 주제
- 아버지를 만난 동기
- 외할머니 또는 외가에 대한 주제
- 성품 및 건강

③ 어린 시절(초등학교 입학 전)
- 고향에 대한 추억
- 어린 시절 친구
- 어린 시절 놀이
- 가장 기억에 남는 일

④ 학창시절

-초등학교에서부터 진학할 때의 추억

-학창 시절의 특별했던 재능이나 특기

-등 하굣길의 추억

-운동회의 추억

-소풍이나 수학여행의 추억

-진로에 대한 꿈

-꿈과 장래의 희망을 이루기 위해 했던 노력

-명절에 대한 추억

-나에게 영향을 끼친 잊지 못할 선생님

-입학식 및 졸업식에 대한 추억

-학창시절 잊지 못할 친구

-전학 경험에 대한 추억

-나에 대한 부모님의 기대

-기타 : 즐거운 추억 및 슬펐던 추억

⑤ 청년기

-군대 생활에 대한 추억

-직업선택에 대한 이유

-직장생활에서의 최고, 최악의 추억

-선후배와의 관계

-직업이 나에게 어던 의미였나?

-사업에 대한 성패의 추억

-내 인생에서 가장 존경하는 인물

-정치적 이념과 신념

-결혼과 신혼여행에 대한 추억

-배우자는 나에게 어떤 사람인가?

-배우자 부모님, 형제자매와의 관계

-신혼 시절 경제적 상황

-가정생활에 대한 원칙

-부부싸움에 대한 나의 견해

-이상적인 가정생활에 대한 소견

-자녀에 대한 계획

-첫아이 출생 때의 느낌

-자녀 이름은 누가 지었는가?

-육아는 누가 전담했는가?

-나의 육아관

-자녀들에게 미안한 이리 있다면

-가족여행에 대한 추억

⑥중년 시절
-중년에서의 직업
-중년이 갖는 의미
-중년에 가장 힘들었던 일과 기쁨과 보람을 느낀 일
-가장의 역할이란
-중년에서의 가정환경
-중년의 건강

⑦노년 생활(현재의 삶)
-자신이 노인이라고 인정했던 시기는 몇 살 때였는가?
-손주들에 대한 이야기
-노년의 경제적 상황
-졸혼에 대한 나의 생각
-황혼 이혼에 대한 나의 생각
-사별을 했다면 언제, 어떤 이유로
-사별에 대한 아픔을 어떻게 극복했는가?
-은퇴 당시의 느낌
-생계유지는 어떤 방법으로
-현재의 삶에 대한 행복지수는?
-현재 제일하고 싶은 것은?

⑧기타
-일생 중에 가장 감명 깊게 읽은 책
-일생 중에 가장 감명 깊게 본 영화
-즐거웠던 여행에 대한 추억
-꼭 해보고 싶었던 일

※자서전 설계 – 퍼즐 맞추기 – "예시"

대주제 : 내 삶의 흔적(가칭)

아래의 주제 "나의 뿌리"는 저자가 자서전을 쓰기 위해 설정한 주제이며, 자서전 쓰기에 참여하신 분들의 이해를 돕기 위한 것이다.

주제 찾기는 많으면 많을수록 더 좋은 자서전이 출간될 수 있다.

1. 나의 뿌리

① 내 고향 화전민촌 한내마을

② 함양오씨 문월당공파의 집성촌

③ 열일곱 처녀와 29세 홀아비와 결혼

④ 10세부터 골초였던 우리 어메

⑤ 漢學에 뛰어나셨던 아버지

⑥ 밥보다 술이 좋으셨던 울 아버지

⑦ 아버지의 눈물

⑧ 나의 신앙생활로 인해 평생을 맘 조리셨던 어머니

⑨ 어머니는 언제나 나의 援軍

⑩ 어머니는 Midas의 손

⑪ 33년을 함께 살아온 또 한 분의 어머니! 천사 같은 장모님

⑫ 부모님과 함께 사는 삶은 참 행복

2. 유소년기

① 뿌리 깊은 무속신앙
② 여섯 살에 천자책을 외우다
③ 초근목피로 연명하던 보릿고개
④ 단기 4294. 3. 1. 국민학교 졸업
⑤ 믿음의 초석을 놓아주신 초임 석병규 전도사님
⑥ 공포에 떨었던 최초의 산기도 경험

3. 청장년기

①병력 의무, 공군 지원 입대
②사병 신분으로 민가에서 사복으로 하숙 생활
③새로운 경험과 만 4년의 군대9 생활
④부여된 특권이 사단의 유혹
⑤군 생활 가운데 열심이었던 한문 공부
⑥성격의 대전환/내향성에서 외향성으로
⑦여동생을 잃은 삼일간의 통곡
⑧기드온의 용기 · 집안 곳곳에 도사린 우상 제거
⑨혈혈단신 빈손으로 부산행
⑩아내에게 빚진 결혼
⑪두 아들의 출생
⑫버거웠던 삶의 짐
⑬500원 동전 한 잎
⑭수금사원에서 영업부장으로-내 생애의 전환점
⑮전기 오븐기 특허와 상품개발

4. 중년기

① 사업은 실패에 실패를 거듭하다.

② 삶의 목표를 잃어버린 중년기

③ 마음과 현실의 벽

④ 하늘이 무너져도 솟아날 구멍은 있다.

⑤ 보수적인 신앙에서 개혁적 신앙으로

⑥ 칼빈주의 5대 교리에 대한 회의

⑦ 잃어버린 2년 세월(1988~2000)

⑧ 성경 66권을 단락으로 요약 정리하다

⑨ 삶의 터전을 옮기다(부산에서 서울로)

⑩ 행복했던 10년의 직장생활

⑪ 허울을 뒤집어쓰고 살아온 삶

⑫ 내 삶은 빛 좋은 개살구

⑬ 오직 긍정과 열정으로 이룬 꿈

⑭ 나는 가짜 詩人

⑮ 두 분 형님을 일찍 떠나보낸 애통

5. 耳順의 고개를 넘어서서

① 새로운 방향설정
② 지금부터 내가 나로 살기
③ 「사진으로쓰는자서전」 프로그램 개발
④ 노인대학 및 복지관, 주민센터 등에서 「사진으로 쓰는 자서전」 강의 요청
⑤ 「사진으로 쓰는 자서전」을 배우기 위해 찾아오는 강사 교육의 보람
⑥ 당진시 보건소 직원교육(2014. 03. 21~07. 25/매주 2시간.18주)
⑦ 인천대학 평생교육원 「사진으로 쓰는 자서전」 프로그램 15주 과정 진행
⑧ 「시니어 리더스쿨」 프로그램 개발
⑨ 「腦 청춘 다시 찾기」 프로그램 개발(치매예방 프로그램)
⑩ 국립연명의료관리기관 상담사
⑪ 두 아들이 받쳐주는 행복한 노년기
⑫ 喜壽를 넘어서도 강의 요청을 받는 기쁨
⑬ 아직 이루지 못한 버킷리스트(전국 배낭여행)
⑭ 손주들이 주는 기쁨과 아픔
⑭ 마음의 생각을 글로 옮기니 詩가 되더라
⑮ 청중의 영혼을 울리는 강사의 길

6. 현재를 살면서

① 책을 많이 읽는 이유는 같은 事案을 남과 다르게 해석하기 위함이다.

② 2018년 정부 주관 전국민 대상 "아빠·엄마" 글짓기 대회 수상

③ 내 삶을 돌아보는 시간

④ 초고령 사회에서의 경로당 활성화에 대한 小考

⑤ 배움의 열정은 식지 않는다.

⑥ 강의는 행복 충전 시간

⑦ 연명의료 상담사의 보수교육에 대한 나의 생각

⑧ 나의 버킷리스트는 진행 중

⑨ 내가 사랑하는 사람들

⑩ 지나온 뒷길의 회한과 남은 앞길에 대한 희망

⑪ 나의 정치적 이념에 대한 고찰

⑫ 나의 죽음에 대한 긍정적 이해

⑬ 교회 중심의 신앙과 성경적 신앙에 대한 갈등

⑭ 나는 아내에게 늘 빚진 채무자였다

⑮ 노년에도 열정만 있으면 얼마든지 꿈이 현실이 된다

7. 신앙과 신념

① 생애 가운데 세 번의 죽을 고비에서 건져주신 하나님
② 한국 정치의 보수와 진보에 대한 정치적 이념과 사상
③ 교회의 행위 이단적 요소
④ 비겁한 침묵
⑤ 회개하라, 천국이 가까웠느니라
⑥ 종교적 신념과 교회 중심의 신앙에 대한 懷疑

주제에 대한 글쓰기 "예시"

13. 주제에 대한 글쓰기 "예시"

1) 내 고향 화전민촌 「한내」마을

글 / ㅇ ㅇ ㅇ

태백산 준령을 따라 흘러내려 오다가 멈춘 끝자락, 해발 1,219m의 일월산이 우뚝 솟아 있다. 일월산 줄기가 흘러내리는 중턱에 지금은 남의 집이 되었지만 경북 영양군 영양면 대천동 505번지의 초가삼간이 내가 태어난 생가이다. 이곳은 아버지 어머니가 돌아가시기 전까지 살던 곳이다.

영양군은 깊고 깊은 고산준령으로 경북에서도 해발고도가 가장 높은 곳으로, 해가 늦게 뜨고 일찍 지며, 일교차가 심한 오지이다. 아침에 눈을 뜨고 동서남북을 둘러보면 창조주가 그리신 산수화 그림의 병풍이 둘러 있고, 고개를 들어 위를 보면 밥상보 만한 하늘만 보이는 곳, 저 멀리 노송 위에 이름 모를 산새들의 하모니가 아름다운 두메산골이다.

내 고향 "한내"마을의 이름은 「대천」의 순우리말이며, 마을 앞에 큰 내가 흐르고 있어서 붙여진 이름이다. "한내"라는 마을 이름이 정겹기도 하지만 내가 초등학교에 들어가기 전에 한문을 배우던 훈장님께서 천자문을 다 외운 선물로 "인승이는 나중에 雅號를 '한내'로 하라"고 선물로 주셨다. 그래서 지금 글을 쓸 때는 "한내"를 이름 앞에 붙여쓰기도 한다.

고산지대이다 보니 해가 지면 전기가 들어오지 않는 곳이어서 깜깜한 적막강산에 은빛 보름달이 뜨면 방아 찧던 옥토끼가 별빛 타고 내려오는 곳이기도 하다. 겨울밤이면 잔인하리만치 차가운 朔風이 문풍지 울리는 소리를 들으며 잠이 들곤 했다. 밤이면 늑대가 내려와 닭장에 닭을 사냥해 갈 때면 닭들이 요란하게 울어대며 훼치는 소리에 이불을 뒤집어쓰고 무서움에 떨며 밤잠을 설칠 때도 있었다, 철없던 어린시절 초가지붕 처마 밑에 길게 늘어진 고드름은 멋진 아이스케키의 추억으로 남아 있다.

그 옛날 십년 연상이신 큰형님께서 이런 말씀을 자주 하셨다. "조상님들이 어찌 이런 심산유곡에 지게 자리를 놓으셔서 후손들을 고생시키는지 모르겠다"고 푸념을 하시기도 했다. 그러나 내 고향은 언제나 그리운 마음의 유적으로 남아 있다.

내 고향 한내 마을은 1980년대 중반까지만 해도 咸陽吳氏 문월당공파의 집성촌이었다. 他姓이 한 집도 없이 70여 세대가 종가집을 중심으로 옹기종기 모여 살던 곳이다. 이제는 집성촌의 모습은 온데간데없고, 吳씨들이 떠난 자리에 여러 성씨들이 모여들어 살고 있는 곳이 되었다.

지금은 아버지 어머니의 先塋이 있어서 일 년에 한두 번 정도 고향을 찾는다. 내 고향 화전민촌은 심산유곡이지만 잠시나마 세속을 벗어나 깊은 산속의 아늑하고 보석 같은 평화를 안겨주며, 자아를 발견할 수 있는 소중한 곳이기도 하다.

　모진 삭풍이 지나가고 소소리바람이 불어오기 시작하면 감나무 밑에서 감꽃을 주워 먹던 추억이며, 여름밤이면 힐렁한 삼베 바지저고리로 마당 평상에 누워 속절없이 휘영청 쏟아져 내리는 달빛을 등불 삼아 책을 읽던 추억도 내 삶의 일부분이었다. 언제든지 찾아가면 스스럼없이 마음을 활짝 열어주는 넉넉함이 내 고향 「한내」마을이다.

2) 은퇴 후의 새로운 삶 - "예시"

글 / ○ ○ ○

　대부분의 사람들은 어떤 철학적 신념에 의해서가 아니라 소득을 얻기 위한 수단으로 직업을 선택하다 보니 퇴직 또는 은퇴에 대한 불안감을 안고 있다. 평소에 생활 경제력에 대해 걱정하지 않아도 될 만큼 준비가 되어 있다면 스스로 퇴직의 시기를 결정할 수 있겠지만 준비가 안 되어 있다면 본인의 뜻의 상관없이 외부의 강요에 의해서 떠밀리듯 퇴직을 해야 할 수도 있다. 직장인의 꿈은 행복한 직장생활과 만족한 퇴직(은퇴)를 꿈꾸는 것은 당연할 것이다.

요즘은 평생직장이라는 개념은 사라진지 오래되었다. 은퇴를 앞둔 사람들은 은퇴 후에 연금으로 생활이 가능할까를 고민하고 있다. 기본 재산을 소유하고 있다면 문제는 달라지겠지만 일반적으로 부부의 월 평균 생활비가 현재를 기준으로 약 3000만원 정도라고 한다. 그렇다면 년 3,600만 원이 된다.

　고령사회에서 은퇴 후에 30년을 생존한다면 10억 원이 넘는 생계비가 필요하다. 나의 은퇴자금은 여기에서 훨씬 미치지 못하는데, 심각하게 고민해 봐야겠다. 줄이고 아끼면서 산다는 것은 스트레스로 인해 삶의 질이 떨어질 것이다.

　고민 중에 새로운 일을 시작했다. 헌직에서의 삶을 내려 놓고 초등학교 경비로 일하기 시작했다. 하루 3교대의 근무로 많지 않은 수입이지만 매월 일정 금액의 수입을 얻을 수 있기에 현재의 일이 너무 행복하다. 매일 아침 등교하는 손주같은 학생들에게 인사하는 일도 행복하다. 출근하시는 선생님들의 격려의 말씀도 힘이된다.

　호서대 설립자 강석규박사의 "어느 95세 노인의 수기"라는 글을 옮겨 본다.

어느 95세 노인의 수기

  나는 젊었을 때. 정말 열심히 일했습니다. 그 결과 나는 실력을 인정받았고. 존경을 받았습니다. 그 덕에 65세 때 당당한 은퇴를 할 수 있었죠. 그런 내가 30년 후인 95살 생일 때. 얼마나 후회의 눈물을 흘렸는지 모릅니다.

  내 65년의 생애는 자랑스럽고 떳떳했지만, 이후 30년의 삶은 부끄럽고 후회되고. 비통한 삶이었습니다. 나는 퇴직 후 '이제 다 살았다. 남은 인생은 그냥 덤이다.'라는 생각으로 그저 고통 없이 죽기만을. 기다렸습니다. 덧없고 희망이 없는 삶, 그런 삶을 무려 30년이나 살았습니다.

  30년의 시간은 지금 내 나이 95세로 보면 3분의 1에 해당하는 기나긴 시간입니다. 만일 내가 퇴직할 때. 앞으로 30년을 더 살수 있다고 생각했다면 난 정말 그렇게 살지는 않았을 것입니다. 그때 나 스스로가 늙었다고 뭔가를 시작하기엔 늦었다고 생각했던 것이 큰 잘못이었습니다. 나는 지금 95살이지만 정신이 또렷합니다.

앞으로 10년, 20년을 더 살지 모릅니다. 이제 나는 하고
싶었던 어학공부를 시작하려 합니다. 그 이유는 단 한 가
지, 10년 후 맞이하게 될 105번째 생일날 95살 때 왜 아
무것도 시작하지 않았는지 후회하지 않기 위해서입니다.

- 끝 -

호서대 설립자 강석규박사

　강석규박사(1913. 12. 07~2015. 08. 31)는 향년 101세에
포기할 줄 모르는 도전적인 삶을 마감했다. 나는 이 글을 읽으
면서 부끄러움에 저절로 고개가 숙여진다. 큰 가르침을 주신
강석규박사님께 감사드리며, 남은 생은 후회 없이 살자고 내
자신과 약속해 본다.

3) 에필로그 - "예시"

글 / ㅇ ㅇ ㅇ

 문학에 대해서는 접해본 일이 전혀 없었으며, 30년이 넘도록 사업을 하면서 글쓰기에 대해서 생각해본 일조차 없었는데 자서전 쓰기를 한다고 권유하기에 일단 참여는 했으나 속으로는 걱정이 태산이었다. 시작하고 보니 역시 머릿속은 공황상태였고 종이 위에 팬은 움직이지를 못했다. 과연 내가 책 한 권 분량의 자서전을 마무리할 수 있을까 하는 걱정이 앞섰다.

 그럼에도 처음 정해놓은 주제를 나누고, 쪼개고 하면서 한 꼭지 한 꼭지 채워가다 보니 여기까지 올 수 있었다.
 중요한 것은 일단 시작을 했으니 끝까지 마무리 해야 한다는 다짐과 어떤 일이 있어도 하루 한 꼭지씩은 쓴다는 각오가 있었기에 가능한 일이었다. 이제 탈고를 눈앞에 두고 있다. 내 삶의 여정에 대한 이야기는 마무리 되었고, 에필로그로 마지막을 장식하면 된다.

 자서전을 쓰는 전 과정이 결코 쉬운 일은 아니었다. 그러나 자서전을 쓰는 동안 나의 참모습과 직면할 수 있었던 것이 제일 큰 소득이었다.

타임머신을 타고 70년 세월의 과거로 돌아가서 내 삶을 더듬어 오면서 진부한 이야기인 것 같기도 하지만 지나온 뒷길보다 앞으로의 남은 앞길이 짧다는 것을 현실적 느낌으로 깨닫는 기회가 되었다.

　　그로 인해 앞으로의 남은 삶을 어떻게 살 것인가에 대한 계획도 세울 수 있게 되어서 얼마나 기쁜지 모르겠다. 그리고 무언가를 해내었다는 성취감과 행복감은 너무나 값진 것이다. 이제껏 써 내려온 글을 고치고 수정을 반복하면서 완성도를 높여야 한다. 머지않아 마지막 퇴고의 마침표를 찍으면 내 생애 전체가 한 권의 책으로 탄생 될 것이다.

내가 주인공으로 설정된

「자서전」

내가 살아온 날들 가운데 있었던

「몇 묶음의 즐거운」

「몇 다발의 안타까움」

그리고

「한 아름의 행복」

「한 줌의 부끄러움」도

모두 담아내는

내 삶의 역사이다.

후일

내 후손들에게는

재물보다 소중한

유산이 될 것이다.

- 저자 -

자서전 쓰기를 통한 자기 성장과 사회적 영향"

1) 자서전 쓰기: 개인의 성장과 사회적 기여

현대 사회에서 개인의 삶은 빠르게 변화하고 있으며, 이러한 변화 속에서 자신의 정체성과 삶의 의미를 되찾기 위해 자서전 쓰기가 주목받고 있습니다. 자서전은 단순히 과거의 기록이 아니라, 자신의 삶을 깊이 성찰하고 미래를 향한 새로운 비전을 제시하는 중요한 도구입니다. 교수이자 평론가로서, 자서전 쓰기의 중요성과 그로 인한 다양한 영향을 다음과 같이 추천합니다.

1. 자아 발견과 통합

자서전을 쓰는 과정은 자신을 깊이 들여다보는 기회입니다. 삶의 중요한 사건과 경험을 기록하면서, 우리는 자신을 재발견하고 내면의 상처를 치유할 수 있습니다. 이는 심리학적으로도 자아 통합의 과정으로, 자신의 삶을 주체적으로 바라보고 수용하는데 큰 도움이 됩니다. 특히, 자아 발견은 개인의 심리적 안정과 자긍심을 높여주며, 이를 통해 보다 긍정적인 삶의 태도를 가질 수 있습니다.

2. 삶의 교훈과 지혜 전수

자서전은 후손들에게 귀중한 삶의 교훈을 전하는 중요한 매개체가 됩니다. 개인의 경험에서 우러나온 지혜와 통찰은 후손들에게 큰 영감을 줄 수 있으며, 이는 가족의 역사와 문화를 지속적으로 전수하는 역할을 합니다. 또한, 자서전은 사회적, 역사적 자료로서 후대의 연구자들에게도 큰 가치를 지닙니다.

3. 사회적 기여와 문화적 유산

자서전은 개인의 역사가 사회적, 문화적 맥락에서 어떻게 전개되었는지를 보여줍니다. 이는 단순히 개인의 기록을 넘어, 당대의 사회적, 경제적, 정치적 상황을 반영하는 중요한 사료가 됩니다. 자서전을 통해 우리는 다양한 시대적 배경과 삶의 양상을 이해할 수 있으며, 이는 사회의 다양한 층위를 이해하는데 큰 도움이 됩니다. 또한, 자서전은 문화적 유산으로서 공동체의 기억을 형성하고 보존하는 역할을 합니다.

4. 창의적 자기 표현의 도구

  글쓰기는 창의적 자기 표현의 중요한 수단입니다. 자서전을 쓰는 과정에서 우리는 자신의 삶을 새로운 시각으로 바라보고, 이를 문학적으로 표현하는 기회를 갖게 됩니다. 이는 창의성을 발휘하는 중요한 계기가 되며, 자신만의 독특한 이야기를 통해 문학적 성취감을 느낄 수 있습니다. 특히, 문학적 글쓰기는 정신적인 풍요를 제공하며, 개인의 내적 성장을 돕습니다.

  자서전 쓰기는 개인의 삶을 깊이 성찰하고, 이를 통해 자기 성장과 사회적 기여를 동시에 이루는 중요한 과정입니다. 이를 통해 우리는 자신의 삶을 재발견하고, 후손들과 사회에 귀중한 삶의 교훈과 지혜를 전수할 수 있습니다. 교수이자 평론가로서, 자서전 쓰기는 누구나 한 번쯤 도전해볼 가치가 있는 귀중한 작업임을 강력히 추천합니다. 자서전을 통해 얻는 자기 발견의 기쁨과 사회적 기여의 의미는 우리의 삶을 더욱 풍요롭게 만들 것입니다.

시학과 시 발행인 이현우 교수

나를 기록으로 남기다!

자서전 쓰기 가이드북

발행일   2024년 6월 13일

지은이   오인승

펴낸곳   도서출판 시와 이야기

전 화   010-8947-2462

E-mail : hhjjk2000@naver.com

ISBN 979-11-93520-05-5

이책의 판매 공급처 : 도서출판 시와 이야기